Hansel et Gretel

Texte français d'Élisabeth Duval

ISBN 978-2-211-21501-5
Première édition dans la collection *lutin poche* : août 2013
© 2013, l'école des loisirs, Paris, pour l'édition en *lutin poche*
© 2001, kaléidoscope, pour la traduction française
© 1981, Anthony Browne
Titre de l'ouvrage original : « Hansel and Gretel »
Published by arrangement with Walker Books Limited,
87 Vauxhall Walk, London SE11 5HJ
Loi numéro 49 956 du 16 juillet 1949 sur les publications
destinées à la jeunesse : septembre 2001
Imprimé en France par I.M.E. à Baume-les-Dames

Jakob et Wilhelm Grimm

Hansel et Gretel

Illustré par **Anthony Browne**

kaléidoscope
lutin poche de l'école des loisirs
11, rue de Sèvres, Paris 6ᵉ

À la lisière d'une profonde forêt, vivait un pauvre
bûcheron avec ses deux enfants et leur belle-mère.
Le petit garçon s'appelait Hansel et la petite fille Gretel.
La famille avait toujours été très pauvre, mais lorsque
la famine s'abattit sur le pays, ils n'eurent absolument
plus rien à manger.

Le bûcheron en perdit le sommeil.
«Comment nourrir nos enfants quand même le pain
vient à manquer?»
«Je ne vois qu'une solution», dit sa femme, «les conduire
au plus profond de la forêt et les y laisser.»
«Seigneur!» dit le père, «tu me demandes d'abandonner
mes enfants?»
«Tu préfères que nous mourions tous les quatre de faim?»
«Mes pauvres chéris!» dit le père fort chagrin.
Les deux enfants, que la faim tenait éveillés, avaient ouï
la conversation. Gretel se mit à pleurer, mais Hansel
la consola: «Ne t'inquiète pas, j'ai une idée…»

Hansel sortit sans bruit de la maison et, sous le clair
de la lune, il emplit ses deux poches de petits cailloux
blancs. Puis il rentra se coucher et dit à Gretel :
«Dors bien, sœurette, Dieu veille sur nous.»
Dès l'aube, la femme alla réveiller les enfants.
«Debout, paresseux, nous allons ramasser du bois
dans la forêt. Voici votre déjeuner», ajouta-t-elle
en tendant à chacun un quignon de pain.

Hansel, qui fermait la marche, se retournait
régulièrement vers sa maison.
«Que regardes-tu derrière toi?» lui demanda son père.
«Je regarde mon chat blanc qui me dit au revoir
sur le toit.»
«Ce n'est pas ton chat, nigaud», fit sa marâtre,
«c'est le soleil qui scintille sur la cheminée.»
En réalité, Hansel ne regardait pas son chat, il laissait
discrètement tomber derrière lui des petits cailloux blancs.

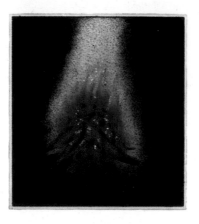

Lorsqu'ils furent arrivés au plus profond de la forêt,
leur père leur fit un bon feu pour les réchauffer.
« Reposez-vous », dit la marâtre, « nous allons couper
du bois, nous reviendrons vous chercher quand nous
aurons terminé. » Les enfants mangèrent leur quignon
de pain et s'assoupirent. Quand ils se réveillèrent,
la nuit était déjà tombée. Hansel rassura Gretel :
« Grâce aux petits cailloux blancs, nous retrouverons
vite le chemin de la maison. »

La lune éclairait maintenant la forêt. Hansel prit Gretel
par la main et ils suivirent jusqu'à leur maison le chemin
tracé par les petits cailloux blancs.
Ils frappèrent à la porte. La marâtre leur ouvrit et gronda :
« Petits vauriens, où étiez-vous donc passés ?
Nous avons cru que vous ne reviendriez jamais. »
Leur père fut en revanche bien heureux de les revoir,
car son cœur pleurait de les avoir abandonnés.

Mais la famine continuait de sévir. Une nuit, les enfants
entendirent de nouveau la marâtre se plaindre auprès
de son mari. « Une demi-miche de pain, c'est tout
ce qu'il nous reste. Les enfants doivent partir ! »
L'homme retomba dans son premier chagrin, mais
sa femme fit montre de tant d'autorité qu'il lui fallut
céder. Hansel se leva avec l'intention de remplir
ses poches de petits cailloux blancs, mais la marâtre
avait fermé la porte à clef. Il retourna se coucher
et consola Gretel qui pleurait : « Ne t'inquiète pas,
sœurette, Dieu veille sur nous. »

Dès l'aube, la marâtre réveilla les enfants.
«Debout, garnements, nous allons ramasser du bois
dans la forêt. Voici votre déjeuner», ajouta-t-elle
en leur tendant un bout de pain.
«Hansel, que regardes-tu derrière toi?»
demanda son père.
«Je regarde mon pigeon blanc qui me dit au revoir
sur le toit.»
«Ce n'est pas ton pigeon, nigaud», fit sa marâtre,
«c'est le soleil qui scintille sur la cheminée.»
En réalité, Hansel laissait tomber derrière lui des miettes
de son pain.
Dans la forêt, le père fit un grand feu, puis la marâtre dit:
«Reposez-vous, nous reviendrons vous chercher
quand tout le bois sera coupé», et les enfants s'assoupirent.
Il faisait déjà nuit lorsqu'ils se réveillèrent.
Hansel rassura Gretel: «Dès que la lune se lèvera,
nous rentrerons à la maison en suivant le chemin tracé
par les miettes de pain.»

Lorsque la lune monta enfin dans le ciel, les miettes
de pain avaient toutes disparu, mangées par les oiseaux
de la forêt.
« Ne t'inquiète pas », dit Hansel à Gretel, « nous finirons
par retrouver notre chemin. »
Mais ils marchèrent sans repère jusqu'au matin,
et toút le jour qui suivit. Ils seraient probablement morts
d'épuisement si un bel oiseau blanc ne s'était mis à chanter.
Son chant était si mélodieux que les enfants s'arrêtèrent
pour l'écouter, et quand l'oiseau s'envola, ils le suivirent.
C'est ainsi qu'ils arrivèrent devant une petite maison.
Les murs étaient en pain d'épice, le toit en biscuits
et les fenêtres en sucre filé.

«Regarde!» s'écria Hansel. «Quels régals! Je commence
par le toit, va goûter un morceau de fenêtre.»
Une voix sourde, qui venait de l'intérieur de la maison dit:
«*Mordille, mordille, petite souris,*
qui grignote mon logis?»
Les enfants répondirent:
«*C'est le vent qui vient du ciel,*
c'est le vent providentiel.»
Et ils poursuivirent leur festin. Mais une vieille femme
les observait. Elle sortit brusquement de la maison et dit:
«Mes chers petits, d'où venez-vous? Entrez donc
dans mon logis, vous y serez tout aise.»

Un repas de lait, de crêpes au sucre, de pommes
et de noix les attendait. Lorsque Hansel et Gretel furent
rassasiés, ils s'allongèrent dans deux jolis petits lits
et se crurent au paradis. Mais la vieille dame si aimable
en apparence était en réalité une méchante sorcière
qui mangeait les enfants. Sa vue était basse,
mais elle les flairait à trois lieues à la ronde.
C'était pour mieux les attraper qu'elle avait construit
sa maison en pain d'épice.
Le lendemain, la sorcière se leva très tôt, empoigna
Hansel et le jeta dans une cage, puis elle secoua Gretel
et lui dit : « Debout, paresseuse, tu dois puiser de l'eau
et cuisiner pour engraisser ton frère qui est dans
la cage. Quand il sera dodu à souhait, je le mangerai. »

Le pauvre Hansel était grassement nourri, tandis que
Gretel glanait quelques restes. Chaque matin,
la sorcière disait à Hansel : « Tends ton doigt que je le tâte,
ainsi je saurai si tu es dodu à souhait », mais Hansel
lui tendait un petit os et la sorcière s'étonnait chaque fois
qu'il ne fût pas plus gras. Quatre semaines s'écoulèrent,
et la sorcière perdit patience.
« Gretel », hurla-t-elle, « va puiser de l'eau, maigre ou gros,
demain, je mangerai Hansel. »
Gretel se mit à pleurer : « Mon Dieu ! Aide-nous !
Si les animaux de la forêt nous avaient dévorés,
nous serions au moins morts ensemble ! »

Tôt le lendemain matin, Gretel alluma le four. La sorcière
lui dit: «Nous allons d'abord cuire le pain, la pâte
est pétrie, il ne reste plus qu'à l'enfourner. Glisse-toi
dans le four pour vérifier qu'il est assez chaud.»
Gretel avait compris que la sorcière voulait la rôtir
pour la manger, alors elle demanda:
«Et comment entre-t-on dans le four?»
«Pauvre empotée!» dit la sorcière, «regarde comme
c'est facile!» Elle grimpa sur un tabouret et engagea la tête
dans le four. Alors Gretel la poussa de toutes ses forces
et ferma la porte de fer au verrou. Gretel courut délivrer
Hansel et lui dit: «La sorcière est morte! Nous sommes
libres!» et ils sautèrent dans les bras l'un de l'autre.

Avant de partir, ils visitèrent la maison de la sorcière.
Tous les coins et recoins abritaient des coffres débordant
de perles et de pierres précieuses. Les enfants emplirent
leurs poches et quittèrent promptement les lieux.
Ils avançaient depuis plusieurs heures dans la forêt
lorsqu'une large rivière arrêta leur marche.
«Nous ne pouvons pas la traverser», dit Hansel,
«il n'y a pas de pont.»
«Mais regarde, il y a un canard blanc», dit Gretel.
«Si je lui demande, il nous aidera.
Canard blanc aux longues ailes
Nous sommes Hansel et Gretel
Nous devons franchir toute cette eau,
Veux-tu bien nous emmener sur ton dos?»
Le canard s'approcha, Hansel grimpa sur son dos et
attendit Gretel. «Non», dit la fillette, «ensemble nous serions
trop lourds. Nous traverserons l'un après l'autre.»

Une fois la rivière franchie, ils reconnurent progressivement
la forêt alentour. Elle leur semblait même de plus en plus
familière. Soudain, ils aperçurent au loin la maison
de leur père. Ils se précipitèrent à l'intérieur et l'enlacèrent
tendrement. Le pauvre homme n'avait cessé de pleurer
depuis qu'il avait abandonné ses enfants près du feu.
La marâtre était morte.
Hansel et Gretel vidèrent leurs poches de leur précieux
butin de perles et de pierres précieuses.
Leurs soucis s'étaient envolés désormais, et ils vécurent
tous les trois heureux à jamais.

Mon conte est terminé,
regarde la souris trotter,
si tu veux, tu la captures
pour faire un bonnet de fourrure.